Mae'r llyfr

hwn yn perthyn i:

_____

_____

_____

_____

I'm nai a'i dad, sy'n dwlu ar bêl-droed

Cyhoeddwyd gyntaf yn Saesneg 2003
gan Piccadilly Press Cyf, 5 Castle Road,
Llundain NW1 8PR,
dan y teitl *Wilbie Football Mad*
Cyhoeddwyd yn Gymraeg 2005 gan Wasg y Dref Wen Cyf.
28 Ffordd yr Eglwys, Yr Eglwys Newydd,
Caerdydd CF14 2EA
Ffôn 029 20617860.

Argraffwyd yng Ngwlad Belg.

Hefyd gan Sally Chambers o Wasg y Dref Wen
Tomi a Sŵn y Nos
Sgarff Barti

Waldo'n ennill y dydd

Sally Chambers

Trosiad gan
Hedd a Non ap Emlyn

DREF WEN

Roedd Waldo'n hoff iawn iawn o un peth yn arbennig.
Roedd e'n hoff iawn iawn o bêl-droed.

Pan oedd e'n fach, roedd ei dad
yn gwylio pêl-droed drwy'r amser.
Felly roedd Waldo'n gwylio hefyd.

Nawr, roedd e'n hwyaden fawr
ac roedd e'n dwlu ar bêl-droed!

Roedd e'n casglu popeth am bêl-droed.

Roedd e'n darllen popeth am bêl-droed.

Roedd e'n gwylio popeth am bêl-droed.

Ac roedd e'n gwrando ar bob stori am bêl-droed.

Weithiau, os oedd e'n lwcus, roedd ei dad yn mynd â fe i weld ei hoff dîm yn chwarae.

Yn wir, roedd Waldo wedi gwylio, casglu, darllen a chlywed cymaint am bêl-droed, roedd e'n siŵr ei fod e'n gallu *chwarae* pêl-droed yn wych hefyd.

Penderfynodd e ddangos i bawb pa mor dda oedd e drwy fynd i geisio ymuno â'r tîm.

Roedd Waldo'n
awyddus iawn
i ddangos ei sgiliau.

Ond doedd e ddim yn
gallu driblo'r bêl …

… na'i phenio hi …

… a doedd e ddim yn gallu cadw'r bêl yn yr awyr chwaith.

Erbyn i Waldo orffen, roedd e'n gwybod ei fod e'n chwarae'n ofnadwy. Roedd e'n gwybod hefyd na fyddai lle iddo ar y tîm. Ond roedd yr hyfforddwr yn gallu gweld ei fod e'n awyddus iawn i chwarae.

"Mae angen rhywun i wneud gwaith pwysig fel cario'r peli a dod a'r orennau hanner amser," dywedodd e wrth i Waldo baratoi i fynd adre gyda'i dad. "Efallai y galli di helpu."

Cytunodd Waldo, ond roedd e'n teimlo'n drist iawn ar y ffordd adre. "Paid â phoeni," dywedodd ei dad. "Nid bod yn well na phawb arall sy'n bwysig. Mwynhau'r gêm – dyna sy'n bwysig! Ond beth am i ni ymarfer tipyn i wella dy sgiliau pêl-droed ?"

Felly dyma nhw'n ymarfer gyda'i gilydd.

Driblo a loncian…

Penio a chwtsho…

Sgorio ac arbed
gôliau…

A chwerthin a chwerthin.

Roedd Waldo wrth ei fodd
yng nghwmni ei dad.

Bob dydd Sadwrn, roedd Waldo'n gweithio'n galed i helpu'r tîm.

Roedd e'n cario ac yn casglu'r peli, ac yn rhedeg o gwmpas gyda'r dŵr.

Roedd e'n cario'r orennau allan yn ystod hanner-amser.

Ac roedd e'n gweiddi'n uchel i gefnogi'r tîm.

Yna, un dydd Sadwrn, digwyddodd rhywbeth cyffrous. Roedd Waldo'n aros ar y fainc pan ddaeth yr hyfforddwr i siarad â fe.

"Gan dy fod ti wedi bod yn helpu cymaint, mae'r chwaraewyr eisiau i ti chwarae heddiw," dywedodd e.

Roedd Waldo braidd yn
nerfus ar y dechrau, ond
cyn bo hir roedd e'n
mwynhau ei hun. Roedd
yr holl ymarfer wedi bod
yn help mawr iddo ac
roedd e'n chwarae'n dda.

Yn sydyn, pan oedd e'n driblo'r bêl i fyny'r cae, fe welodd
ei gyfle … Pasiodd y bêl i'r ymosodwr …

GÔL!

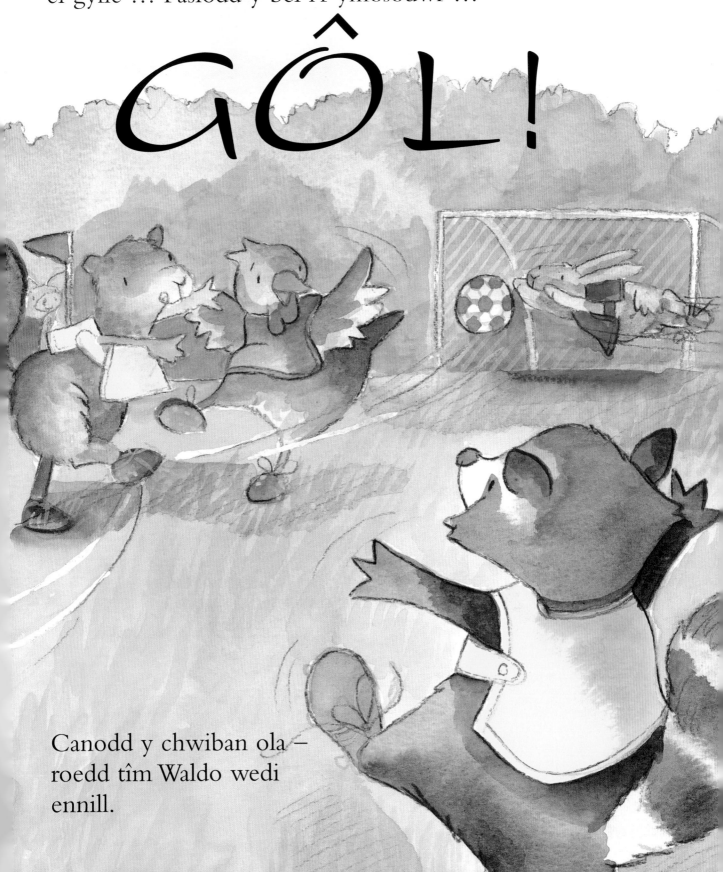

Canodd y chwiban ola –
roedd tîm Waldo wedi
ennill.

Roedd pawb yn bloeddio'n hapus. "Wel, am basio da!" dywedodd yr hyfforddwr. "Efallai y bydd lle i ti ar y tîm ryw ddiwrnod wedi'r cyfan."

Roedd tad Waldo'n teimlo'n falch iawn.

Ar y ffordd adre, dywedodd Waldo wrth ei dad,
"Roedd heddiw'n hwyl, ond does dim ots os na
fydda i'n cael fy newis i fod yn y tîm. Mae
rhywbeth arall yn bwysicach o lawer i fi."

"Beth?" gofynnodd ei dad.
"Ymarfer gyda ti," atebodd Waldo.

Storïau lliwgar difyr o'r
IDREF WEN
mewn cloriau meddal

Chwaden Mewn Wagen *Jez Alborough*

Cwtsh *Jez Alborough*

Fy Ffrind Arth *Jez Alborough*

Y Ffermwr Clyfar Iawn
  Denis Bond/Steve Cox

Beth wnawn ni â Babi Bw-Hw?
  Cressida Cowell a Ingrid Godon

Postman Pat Eisiau Diod *John Cunliffe*

Y Dywysoges *Penny Dale*

Cwac, Cwac! *Philippe Dupasquier*

Mr Blaidd a'r Tri Arth *Jan Fearnley*

Mr Arth yr Arwr *Debi Gliori*

Cadno Bach a'i Ffrindiau yn Rasio
  Colin a Jacqui Hawkins

Yn y Glaw gyda Martha Fach
  Amy Hest/Jill Barton

Arth Hen *Jane Hissey*

Gwna Fel Hwyad! *Judy Hindley/Ivan Bates*

Ianto a Roli *Mick Inkpen*

Drygioni Mog *Judith Kerr*

Ambarél y Wrach Hapus
  Dick King-Smith/Frank Rodgers

Fflos y Ci Defaid *Kim Lewis*

Fflos a Me Bach *Kim Lewis*

Ffred, Ci'r Fferm *Tony Maddox*

Ffred a'r Diwrnod Wyneb-i-Waered
  Tony Maddox

Ffred yn Achub y Dydd *Tony Maddox*

Taw Tomos *Tony Maddox*

Elfed *David McKee*

Newydd Da, Newydd Drwg
  Colin McNaughton

Ga i Chwarae *Jill Murphy*

Heddwch o'r Diwedd *Jill Murphy*

Heddlu Cwm Cadno *Graham Oakley*

Fy Mrawd Mawr Moc *Liz Pichon*

Rwyt ti'n Rhy Fawr
  Simon Puttock/Emily Bolam

Mrs Mochyn a'r Sôs Coch *Mary Rayner*

Mrs Mochyn yn Colli'i Thymer
  Mary Rayner

Perfformiad Anhygoel Gari Mochyn
  Mary Rayner

Wil Drwg *Mary Rayner*

Ch-Chwyrnu *Michael Rosen*

Wil y Smyglwr *John Ryan*

Ed a Mr Eliffant: Cei di Weld! *Lisa Stubbs*

Mostyn a Monstyr y Mwyar *Lisa Stubbs*

Y Tri Blaidd Bach a'r Mochyn Mawr Drwg
  Eugene Trivizas/Helen Oxenbury

Pwtyn *Clara Vulliamy*

Ti a Fi, Arth Bach
  Martin Waddell/Barbara Firth

Methu cysgu wyt ti, Arth Bach?
  Martin Waddell/Barbara Firth

Ifan Cyw Melyn
  Martin Waddell/David Parkin

Wil y Ffermwr a'r Storm Eira *Nick Ward*

Wil y Ffermwr a'r Mochyn Bach
  Nick Ward

Cyfres Fferm Tŷ-gwyn *gan Jill Dow*

Chwilio am Jaco

Gwlân Jemeima

Dref Wen Cyf., 28 Ffordd Yr Eglwys, Yr Eglwys Newydd, Caerdydd CF14 2EA Ffôn 029 20617860